L'1talia è cultura

Collana in 5 fascicoli

Livello B2-C1

Arte

Testi e attività per stranieri

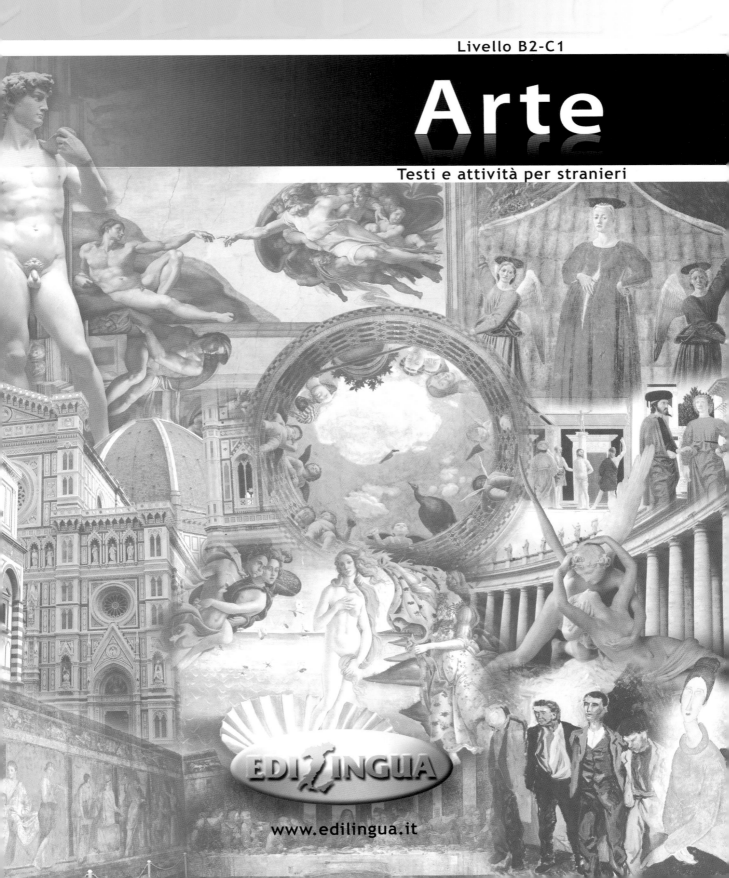

EDILINGUA

www.edilingua.it

Maria Angela Cernigliaro, nata a Napoli, si è laureata in Lettere classiche e in Storia e Filosofia presso l'Università Federico II. In possesso di Master e del Dottorato in Letteratura italiana, con una tesi su Italo Calvino, oggi vive ad Atene, dove insegna presso l'Università Capodistriaca e l'Istituto Italiano di Cultura. È autrice di varie opere sull'insegnamento/apprendimento della lingua italiana e collabora, inoltre, con l'Università di Perugia e Venezia.

© **Copyright edizioni Edilingua**
Sede legale
Via Cola di Rienzo, 212 00192 Roma
Tel. +39 06 96727307
Fax +39 06 94443138
info@edilingua.it
www.edilingua.it

Deposito e Centro di distribuzione
Via Moroianni, 65 12133 Atene
Tel. +30 210 57.33.900
Fax +30 210 57.58.903

I edizione: dicembre 2011
ISBN: 978-960-693-001-0
Redazione: Marco Dominici, Laura Piccolo
Impaginazione e progetto grafico: Edilingua

Edilingua
sostiene
actionaid

Grazie all'adozione dei
nostri libri, Edilingua
adotta a distanza dei
bambini che vivono in
Asia, in Africa e in Sud
America. Perché insieme
possiamo fare molto.
Ulteriori informazioni sul
nostro sito.

Premessa

Se intendiamo conoscere a fondo una lingua, non ha senso apprendere solo regole grammaticali o questo e quel lemma. Occorre piuttosto pensare che la lingua non è che uno "strumento" usato dal popolo per rappresentare se stesso, ovvero la sua cultura, che è alla base della sua civiltà.

La cultura di cui siamo portatori emerge in tutto ciò che siamo, diciamo, facciamo. Lingua e cultura non sono che due facce della stessa medaglia. Sviluppare, dunque, nelle nostre classi l'argomento cultura, seppure in linee generali, si pone come un'esigenza primaria e necessaria da soddisfare assolutamente.

Chi sono gli italiani? *Dove* vivono? *Quali* elementi storici o geografici sono o sono stati determinanti per la formazione del loro carattere? *Come* hanno vissuto e *che cosa* hanno fatto i loro personaggi illustri? *Da dove* nascono i loro miti artistici? *Perché* alcuni fattori hanno influenzato più di altri i loro gusti e le loro mode?

Per dare risposta a questi e ad altri interrogativi abbiamo ideato una collana che si pone come obiettivo di dare dei lineamenti di cultura italiana. La materia spazia dalla storia alla geografia, dalla letteratura alla storia dell'arte per giungere fino alla musica, al cinema e al teatro, attraverso l'uso di un linguaggio semplice (per le parole meno familiari si rimanda a un glossario in appendice) e di ricco materiale fotografico. Si offre, insomma, al discente straniero una chiave per interpretare e approfondire – con il ricorso ad "elementi" culturali – la lingua italiana da lui tanto amata.

Intendiamo, invero, intraprendere un viaggio in compagnia dei nostri studenti stranieri, ai quali vogliamo "tradurre", invece che in italiano – cosa che ci sembra estremamente limitativa – l'Italia e gli italiani.

Avanti, allora, e coraggio! Come dice Severgnini in un suo divertente libro, troviamo la strada che porta nella "testa degli italiani".

Si tratta di un'esplorazione avventurosa utile ai nostri discenti per capire verità – e anche menzogne – che suscitano l'interesse di tanti stranieri per il Belpaese, entrando in un labirinto affascinante, pieno di emozioni e di nuove scoperte.

L'autrice

L'ARTE IN ITALIA

Tutti sanno che l'Italia è un paese ricco di opere d'arte. Note capitali italiane dell'arte nel mondo sono considerate Roma, Firenze, Venezia, Napoli e Palermo, ma bisogna dire che su tutto il territorio, e non solo nei musei, è possibile ammirare grandi capolavori. Scegliere nomi e opere, dunque, tra tanti artisti e capolavori non è un compito facile. In questo modulo, perciò, cercheremo solo di incuriosirvi, lasciando a voi il ruolo di ricercatori.

In linea generale, nel corso della storia dell'arte italiana, possiamo dire che l'antichità classica è stata in ogni tempo il principale punto di riferimento[1] per tutte le tendenze artistiche. Dal Medioevo al Rinascimento gli artisti hanno cercato di riportare in vita le forme classiche e successivamente o hanno reagito a quelle, cercando nuove vie d'espressione, o sono ritornati ad evocarle[2] con nostalgia.

Ma per capire meglio l'evoluzione e i movimenti artistici nella nostra penisola, è necessario cominciare dalle origini.

Lessico di base

abside	edilizia	porticato
affresco	facciata	prospettiva
altare	foro	quadro/tela/dipinto
anfiteatro	guglia	restauro
architettura	iscrizione	rilievo
architrave	marmo	ritratto
arco a tutto sesto/a sesto acuto	matita (colorata)	rosone
arco di trionfo	mosaico	schizzo
basilica/chiesa	mostra	scultura
bassorilievo	(le) mura	sfumato
calotta	museo	statua (in marmo/in bronzo)
capitello	natura morta	statua equestre
capolavoro	navata	tamburo
catacombe	necropoli	teatro
cella	pala d'altare	(a) tempera
chiaroscuro	pannello	tempio (i templi)
colonna	pastello	terracotta
colonna onoraria	patrimonio	timpano
colori a olio	pennello	tomba
corrente/movimento	piano urbanistico	transetto
cripta	pilastro	volta a botte
cupola	pittura	volta a crociera
disegno	plasticità	

Il Mondo Antico

L'arte preromana

L'arte etrusca (IX-I sec. a.C.)

Nonostante le migliaia di iscrizioni a noi giunte, si può dire che la civiltà etrusca resta per gli studiosi ancora un mistero, in quanto solo poche parole sono state decifrate[3]. Non si conosce neanche la provenienza degli Etruschi: è certo tuttavia che tra il IX e l'VIII secolo a.C. dominano una vasta area comprendente non solo l'attuale Toscana, ma anche parte dell'Umbria e del Lazio. Il periodo di massima fioritura politica ed artistica avviene comunque tra il VII e il VI secolo. In Italia costruiscono città-stato (Tarquinia, Chiusi, Volterra, Arezzo, Perugia e altre) molto moderne, secondo un preciso piano urbanistico in quanto disponevano di case non tanto alte, di strade lastricate[4], di fogne[5] e perfino di possenti mura per la difesa, come quelle di Volterra e di Perugia.

La necropoli di Cerveteri (Roma)

Le opere architettoniche rimaste sono purtroppo scarsissime, ma da queste sappiamo che gli etruschi introdussero l'uso dell'*arco* e della *volta*.

La testimonianza più nota di questa civiltà, tanto misteriosa per noi, è rappresentata dalle *necropoli*, le città dei morti, e dalle tombe. Si tratta di semplici camere sotterranee, dette *ipogei*, scavate nel terreno o nella roccia e ricoperte da un tetto di forma conica. Tra le tombe scoperte nella zona intorno a Peru-

gia spicca per importanza l'*Ipogeo dei Volumni*.

All'interno delle tombe, i muri ricoperti di *pitture* (scene di balli, giochi e banchetti) e i numerosi oggetti ritrovati (vasi di terracotta, sculture, marmi, bronzi e perfino lavori di oreficeria) mostrano che questo popolo credeva in una vita oltre la morte; l'esistenza terrena è solo un periodo di preparazione a una vita più duratura, quella dell'eternità.

La Tomba dei leopardi, *Tarquinia, 470 a.C.*

Non è rimasta traccia di nessun *teatro* etrusco, ma sappiamo da un *affresco* che le donne erano emancipate e assistevano agli spettacoli teatrali e sportivi.
Sappiamo infine che i *templi*, di modeste dimensioni, erano costruiti sull'acropoli con materiali di poco valore e ornati di terracotte e statue. Proprio da un tempio, quello della città di Veio (in provincia di Roma), ci è giunta una delle sculture etrusche più famose, *l'Apollo*, caratterizzato, come altre sculture, da un

sorriso enigmatico, detto appunto "sorriso etrusco".
È certo che gli etruschi erano in contatto già dall'VIII secolo a.C. con altre civiltà dell'Oriente e con i coloni[6] greci che vivevano in Italia. Un'importantissima scoperta in questo senso è stata fatta nel 1968 a Paestum: la *Tomba del tuffatore* è uno dei più antichi esempi di pittura ellenica su suolo italico. Questa e altre pitture qui ritrovate hanno sorprendenti affinità[7] con quelle etrusche.

Apollo di Veio, *VI secolo a.C.*

Tomba del tuffatore, *Paestum*

L'arte greca (VIII - I sec. a.C.)

La ricerca di nuove terre e il desiderio di ampliare i commerci spingono i Greci a fondare colonie sulle coste del Mar Mediterraneo e specialmente nell'Italia del Sud, cioè nella "Magna Grecia" e in Sicilia, dove lasciano molte tracce della loro civiltà. L'edificio più importante è il *tempio* che viene costruito sulla parte più alta della città, l'acropoli. All'interno c'è una cella dove viene custodita[8] la statua della divinità a cui il tempio è dedicato. Intorno, il tempio ha un porticato con colonne di stile dorico (o ionico e corinzio).
Ne troviamo molti esempi in Sicilia (a Segesta, a Selinunte, nella splendida Valle dei Templi ad Agrigento) e due, quasi intatti, a Paestum, dedicati ad Atena e a Nettuno.
Un'altra costruzione cara ai greci è il *teatro*, di solito situato laddove il mare può essere lo sfondo naturale. Mol-

Il tempio di Atena *(o Cerere), Paestum*

Il tempio di Nettuno, *Paestum*

onzi di Riace, *Museo di Reggio Calabria*

Il teatro greco di Siracusa

ti teatri sono ampi perché devono contenere l'intera popolazione della città, come il *Teatro di Siracusa* che può ospitare ben 15.000 spettatori.

Luoghi importanti della città sono, inoltre, *la piazza o agorà* e il *ginnasio*, una palestra per esercitare il corpo e la mente (erano previsti anche spazi in cui i giovani venivano educati alla musica, alla letteratura e alla filosofia).

Nel 1972, nei fondali[9] delle acque di Riace, in Calabria, sono state trovate due statue di bronzo, forse di età classica. Si tratta dei famosi *Bronzi di Riace* che probabilmente raffigurano due guerrieri. Dopo un lungo restauro, sono oggi custoditi nel Museo Nazionale di Reggio Calabria.

Quando tra il 300 e il 200 a.C. Roma conquisterà le colonie greche, ne assorbirà[10] la cultura, facendola propria.

L'arte romana (IV sec. a.C. - IV sec. d.C.)

La civiltà romana è caratterizzata dallo *sviluppo urbano*. La pianta della città romana è semplice e geometrica, di forma quadrata o rettangolare, come quella di un accampamento militare[11] ed è circondata da *mura*, su cui si aprono quattro porte che corrispondono ai punti dove terminano le due strade principali, chiamate *cardo* e *decumano*, che attraversano la città formando una croce; tutte le altre strade sono parallele a queste due, in modo che la città sia suddivisa in parti regolari e uguali tra loro. Nel punto dove le due strade si incontrano, cioè nel cuore della città, sorge il *foro*, la piazza con gli edifici pubblici più importanti: i mercati, la basilica, il teatro e i templi.

Tra gli anfiteatri, famoso è il *Colosseo* o *Anfiteatro Flavio*, una grande ellisse in grado di ospitare circa 50.000 spettatori.

Gli elementi architettonici più caratteristici della Roma imperiale sono gli *archi di trionfo* e le *colonne onorarie*, sempre sormontati da sculture che servono a celebrare le vittorie degli imperatori. Non troviamo nella Roma antica molti esempi di edilizia privata, quali case e botteghe; per trovarne, bisogna andare a Ostia antica e soprattutto a Pompei, dove gli scavi hanno riportato alla luce splendide abitazioni, piene di affreschi stupendi (come quello della Villa dei Misteri) e mosaici (tra cui quello gigantesco della battaglia di Alessandro contro Dario, custodito nel Museo Archeologico di Napoli).

La Colonna Traiana

Colosseo, *o Anfiteatro Flavio, iniziato* a Vespasiano *(72 d.C.) è stato* completato da Tito *(80 d.C.).* architettura esterna è costituita da re piani di arcate *(di ordine dorico,* onico, corinzio*) e da un quarto piano* on finestre chiamato attico. ll'interno ci sono tre ordini di radinate su cui sedeva il pubblico per ssistere agli spettacoli.

Affreschi della Villa dei misteri, *Pompei*

Le domus, le case costruite per i ricchi romani, erano circondate da (1) mura senza finestre ma avevano un (2) peristilium (un cortile e giardino interni). Erano composte da un (3) vestibulum (ingresso), un (4) atrium (uno spazio aperto con una vasca per raccogliere l'acqua piovana), un (5) tablinium (camera da ricevimento) un (6) triclinium (camera da pranzo) e molte (7) cubicola (camere da letto). Le case erano abbellite da affreschi, mosaici e statue.

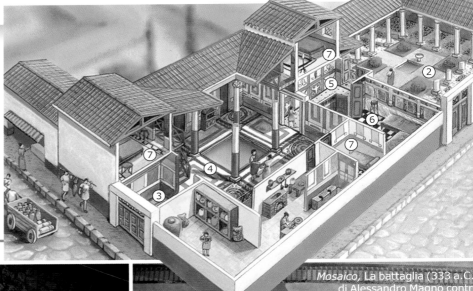

Villa romana del Casale, Piccola caccia

Mosaico, La battaglia (333 a.C.) di Alessandro Magno contro Dario III, re di Persia, casa del Fauno, Pompe.

Statua equestre di Marco Aurelio, Musei Capitolini, Roma

Caratteristico edificio romano è infine la villa extraurbana, rifugio di famiglie ricche, come quella che l'imperatore Adriano si fece costruire a Tivoli, nei pressi di Roma o la villa Casale, vicino Enna in Sicilia, con 3400 mq di mosaici.

In quanto alla scultura, per secoli Roma non ha una produzione propria, ma "ripete" la tradizione ellenica, adattandola alle sue esigenze di "grandiosità".

Importanti opere di scultura sono i rilievi dell'Ara Pacis (19 a.C.), la bellissima Statua in marmo di Antinoo (130-138 d.C.), la Statua equestre di Marco Aurelio (176 d.C.) e infine il noto gruppo dei Tetrarchi (300-315 d.C.) che si trova a Venezia. In quest'ultima scultura già è evidente l'influenza "barbarica".

Il gruppo dei Tetrarchi, di epoca tardo-romana, Venezia

L'arte paleocristiana (II-VI sec. d.C.)

Le prime testimonianze dell'arte paleocristiana sono le catacombe, che erano i cimiteri dei primi cristiani, luoghi di culto e di rifugio durante le persecuzioni[12]. Le catacombe sono costituite da chilometri di gallerie sotterranee, una sull'altra, a tre o perfino cinque piani, dove, in aperture lungo le pareti, si mettevano i morti. Nelle cripte, cioè in camere più spaziose, si seppellivano i martiri o intere famiglie. A Roma, nelle famose Ca-

Catacombe di San Callisto, fine II secolo d.C., Roma

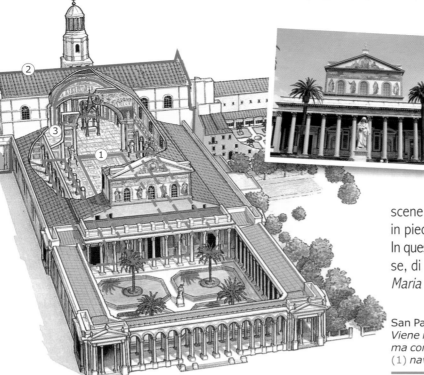

tacombe *di San Callisto, di Domitilla*, ma anche in quelle *di Priscilla* si trovano le prime pitture cristiane, molto lineari con tratti sommari, dove accanto ai simboli della fede (il pesce, la colomba, il sole, il buon pastore, l'agnello ecc.) abbiamo scene del Nuovo Testamento con figure che pregano in piedi a braccia aperte.

In questo periodo vengono erette[13] a Roma le prime chiese, di cui abbiamo esempi celebri: la *Basilica di Santa Maria Maggiore* e la *Basilica di San Paolo fuori le mura*.

San Paolo fuori le mura
Viene ripreso il motivo della basilica nella tarda romanità, ma con l'aggiunta di nuovi elementi:
(1) *navate*, (2) *transetto*, (3) *abside ecc.*

L'arte bizantina (IV-VI sec. d.C.)

L'arte bizantina è l'arte che nasce a Bisanzio (l'odierna Istanbul) dopo il IV secolo d.C. Nel 402 Ravenna diviene capitale dell'Impero romano d'Occidente, capitale d'Italia (dal 493 al 526) sotto Teodorico, re degli Ostrogoti, e sede dell'esarcato[14] sotto Giustiniano. È proprio in questa città che in Italia si sviluppa l'arte bizantina. A Ravenna infatti sorgono grandi edifici costruiti riutilizzando marmi e colonne di antichi templi pagani. Le chiese bizantine presentano alcuni elementi della tradizione classica, come la pianta centrale o a croce greca e alcuni elementi orientali, come la *cupola*, di ispirazione persiana. La scultura è poco usata in questo periodo, per lo più si tratta di elementi architettonici come capitelli, cornici di porte o sarcofagi[15]. All'interno, le chiese vengono abbellite non tanto con affreschi ma con preziosi *mosaici*. I soggetti rappresentati in genere sono scene sacre, paesaggi, animali, personaggi della corte imperiale su uno sfondo quasi sempre dorato. I più celebri sono i due *Mosaici di San Vitale*, l'uno con l'imperatore Giustiniano e l'altro con sua moglie Teodora e il suo seguito. Giustiniano e Teodora sono raffigurati come santi; l'arte bizantina infatti si distacca dal realismo dell'arte romana e diventa più spirituale e simbolica. Nei secoli successivi, quest'arte si diffonde in altre città italiane, tra cui Venezia.

Mosaico della Chiesa di S. Vitale, Ravenna. L'imperatore Giustiniano (in basso) e Teodora, sua moglie (a destra)

Mausoleo di Galla Placidia, *Ravenna*

es. 1

Il Medioevo

L'arte romanica (XI-XII sec.)

Lo stile romanico si afferma intorno all'anno mille, quando abbiamo in Europa e in Italia un ripopolamento delle città e, in genere, una ripresa economica. Essendo scarso lo spazio all'interno dei borghi, circondati da solide mura, bisognava costruire verticalmente. Testimonianza di ciò sono le molte *torri* che durante quest'epoca sorgono in numerosi centri del-

fig. 1a

fig. 1b

fig. 1c

lonne, su pilastri in grado di sostenere pesi. Gli edifici sono semplici e poco decorati. Le finestre sono poche. La luce penetra solo da una grandissima finestra aperta sulla facciata, a forma rotonda, detta *rosone* (fig.2). In Italia questo stile è presente soprattutto in Piemonte, Lombardia, Toscana e Veneto, ma non è uniforme, in quanto esistono influenze locali. Tra i più importanti esempi di architettura romanica ricor-

fig. 2

diamo: Sant' Ambrogio a Milano, San Zeno a Verona, S. Miniato a Monte a Firenze, il Duomo a Modena e il Duomo, il Battistero e la Torre Pendente a Pisa.
La scultura esiste in funzione decorativa delle strutture architettoniche e vari elementi, come i capitelli (fig. 3a), l'architrave (fig. 3b) e il timpano (fig. 3c), sono valorizzati da molti rilievi che danno "robustezza" alla costruzione. I temi sono sia religiosi che scene di vita quotidiana. Un grande scultore dell'epoca, attivo a Modena dal 1099 al 1110 c., è **Wiligelmo**: nelle sue sculture, le figure umane strette in spazi architettonici che sono come una prigione esprimono la fatica di vivere.

San Gimignano, la città delle torri, Siena, Toscana

l'Italia centrale (Bologna, Pisa, San Gimignano, per citarne alcuni), torri che rappresentano simbolicamente anche il prestigio sociale delle famiglie più importanti della città.
Dopo la bufera barbarica, l'architettura in questo periodo è soprattutto ecclesiastica e si rifà[16] a quella romana classica, interpretandola liberamente. La pianta basilicale, "a croce latina", ad una, a tre e perfino a cinque *navate* (come le basiliche romane), con transetto e abside, è ricoperta da un soffitto non più in legno, ma in muratura. Infatti, una delle caratteristiche dell'architettura romanica è la struttura massiccia e robusta, e il muro è fatto per sorreggere il peso. Molto usati sono l'*arco a tutto sesto* (fig.1a), la volta a botte (fig.1b) e la volta a crociera (fig.1c), cioè con *arcate* a semicerchio che poggiano, invece che su eleganti co-

La chiesa di Sant'Ambrogio, Milano

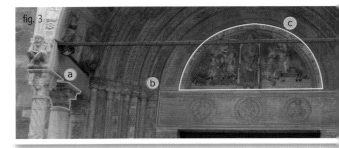
fig. 3

Wiligelmo, La creazione di Adamo ed Eva *(1106 c.)*, rilievo, Duomo di Modena

Benedetto Antelami, La Deposizione, Duomo di Parma

Un altro scultore e architetto è **Benedetto Antelami** (1150-1230 c.), autore della *Deposizione* (1178) del Duomo di Parma. Le figure del rilievo, oltre ad essere caratterizzate da drammaticità, sono rappresentate con grande plasticità e portano abiti molto curati nei particolari delle pieghe. L'artista preannuncia il periodo artistico che seguirà: il Gotico.

L'arte Gotica (XIII-XV sec.)

Duomo di Milano

fig. 1a

fig. 1b

Lo stile gotico nasce in Francia nel XII secolo, ma giunge in Italia agli inizi del XIII secolo e si diffonde tra la fine del romanico e l'inizio del Rinascimento. La caratteristica principale dell'architettura gotica è che è leggera, vòlta[17] verso l'alto, verticale. Due caratteristiche la differenziano da quella romanica: la prevalenza del vuoto sul pieno, per cui grandi finestre con vetri colorati rendono luminoso l'interno delle chiese, e l'*arco a sesto acuto* (fig.1a), cioè a punta. All'esterno, poi, la costruzione è alleggerita da *statue*, *guglie* (fig.1b) e altri elementi decorativi. L'esempio più famoso di gotico italiano è il *Duomo* di Milano.

Così come l'architettura, anche la scultura e la pittura gotica sono caratterizzate da luminosità e linearità.

Nel campo della pittura bisogna citare due artisti i quali, pur avendo ancora stretti rapporti con quella bizantina, riescono a rinnovare il linguaggio della pittura: Cenni di Pepo, detto **Cimabue** (1240-1302) a Firenze, che è considerato il maestro di Giotto e il fondatore della scuola pittorica fiorentina e **Duccio da Boninsegna** (1255 c.-1319) a Siena, il fondatore della scuola pittorica senese, il quale, pur essendosi formato sulla pittura bizantina, anima le sue figure di una nuova vitalità.

Notevole rappresentante della pittura gotica è **Simone Martini** (Siena, 1284-Avignone, 1344): discepolo[18] di Duccio da Boninsegna, di cui continua il linguaggio figurativo gotico. Il suo linguaggio pittorico è caratterizzato da eleganza ornamentale e da una dolcezza particolare per cui è stato avvicinato al linguaggio poetico del Petrarca. Definisce con precisione i contorni dei volti e delle mani su fondi luminosi.

Cimabue, Maestà di Santa Trinità, 1280-1290, Museo degli Uffizi, Firenze. È l'opera con cui l'artista apre una nuova strada alla pittura. Le figure della Madonna e degli Angeli hanno un'intensità espressiva ben lontana dalla fissità delle immagini bizantine.

Simone Martini, Guidoriccio da Fogliano (1328), Palazzo Pubblico, Siena. Il comandante dell'esercito senese è rappresentato mentre avanza vincitore a cavallo in una dimensione molto lineare sullo sfondo di un paesaggio luminoso.

Giotto di Bondone (1267 c. - 1337)

È considerato uno dei più grandi artisti di questo periodo e di ogni tempo, protagonista di una rivoluzione pittorica: la sua pittura non è più di evocazione, ma di narrazione.

Un'antica tradizione lo presenta come allievo del Cimabue, a Firenze; ben presto però supera il suo maestro. La pittura di Giotto è semplice, precisa e luminosa. Gli affreschi da lui eseguiti nella *Basilica di San Francesco* ad Assisi ce ne danno una prova.

La sua opera principale sono gli affreschi della *Cappella degli Scrovegni* a Padova. Questo capolavoro consiste in tre file di *pannelli* che ritraggono momenti della vita di Cristo e della Vergine. Le figure che mostrano con intensità i loro sentimenti sono sempre inserite entro sfondi naturali o spazi architettonici tridimensionali, che danno l'illusione della profondità.

es. 2-3

Giotto, Affreschi della *Cappella degli Scrovegni*, dettaglio (1303-1305), Padova

Il Rinascimento (XV-XVI sec.)
L'arte del Quattrocento e del Cinquecento

L'età delle Signorie e dei Principati, come già sappiamo, è chiamata Rinascimento, poiché in questo periodo c'è una vera rinascita di tutte le attività.

Ogni Signore e Principe ci tiene a mostrare la sua importanza e la sua ricchezza, abbellendo il palazzo o la città in cui vive. La maggiore fioritura d'arte e cultura si ha a Firenze, che, sotto il governo della famiglia dei Medici e specialmente di Lorenzo il Magnifico, si arricchisce di monumenti, chiese e palazzi.

Ma anche in molte altre città italiane c'è una produzione artistica di grandissima importanza, che ha contribuito a rendere l'Italia uno dei paesi più ricchi di opere d'arte del mondo.

I grandi artisti del Quattrocento sono tanti (**Brunelleschi, Donatello, Masaccio, Piero della Francesca, Mantegna, Botticelli** ecc.), ma i geni del Cinquecento sono tre: **Leonardo, Michelangelo** e **Raffaello**. Pittore del Cinquecento, degno di massima attenzione, è inoltre **Tiziano**.

Questi grandi artisti cercano di superare il rigido razionalismo e le normative prospettico-geometriche per una nuova meta: l'indagine diretta della natura.

Brunelleschi (Firenze, 1377 - 1446)

Si forma a Firenze, ma a Roma studia le strutture dell'architettura antica e soprattutto quelle delle cupole. Il suo capolavoro è la *Cupola di Santa Maria del Fiore* a Firenze, una cupola grandiosa (misura 90 m. d'altezza e 42 m. di diametro!) in muratura. Per diminuirne il peso l'artista ha un'idea geniale: la costruisce di forma ottagonale lasciando uno spazio vuoto fra la *calotta* esterna ed interna (fig.1a) che fa terminare ambedue a punta (secondo lo stile gotico) e introduce il *tamburo* (fig.1b).

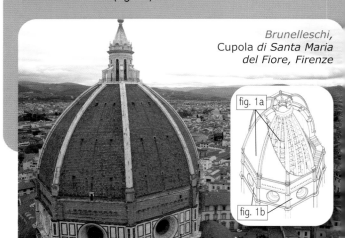

Brunelleschi,
Cupola *di Santa Maria del Fiore, Firenze*

fig. 1a

fig. 1b

Donatello *(Firenze, 1386 - 1466)*

Si chiama in realtà Donato di Niccolò dei Bardi ed è considerato il più importante scultore del '400.

Amico del Brunelleschi, interpreta lo spirito classico come ricerca concreta del corpo dell'uomo visto nella sua realtà e senza abbellimenti. Usa come modelli persone prese dalla strada. Il suo capolavoro è considerato il *David*, una statua in bronzo in cui si nota la fusione tra rievocazione dell'antico e irrequietezza[19] rinascimentale in un continuo gioco di luci e ombre.

Donatello, David *(1434 c.),*
Museo Nazionale del Bargello,
Firenze

Masaccio
(San Giovanni Valdarno, 1401 - Roma, 1428)

Questo artista, il cui vero nome è Tommaso di Giovanni Cassai, è autore di una radicale rivoluzione nella storia della pittura. Masaccio interpreta il nuovo senso dello spazio, secondo le leggi della prospettiva, e studia la luce che giocando con le ombre dà rilievo ai corpi e sottolinea l'intensità emotiva delle sue figure. Tra le sue opere più importanti gli affreschi della *Cappella Brancacci* a Firenze.

Masaccio, Il pagamento del tributo, *particolare (1425 c.),*
affresco, Santa Maria del Carmine, Cappella Brancacci, Firenze

Piero della Francesca
(Borgo Sansepolcro, Arezzo 1416/17 c. - 1492)

Artista importantissimo che stabilisce con precisione geometrica le regole della prospettiva. L'atmosfera dei suoi quadri è raramente drammatica e le figure sembrano impassibili, ma ciò serve a sottolineare la solennità delle scene.

Tra le sue opere migliori c'è la *Pala Montefeltro* (o *di Brera*), detta anche *Madonna dell'Uovo*, perché dall'abside pende un uovo, simbolo della vita. Quest'opera è considerata il dipinto più rappresentativo della pittura italiana del Quattrocento. Gli ultimi anni dell'artista sono difficili a causa della perdita della vista che lo costringe a dedicarsi esclusivamente a trattati di pittura e matematica.

Piero della Francesca, Madonna dell'Uovo *(1472-1474),*
Pinacoteca di Brera, Milano

Andrea Mantegna *(Padova, 1431 - Mantova, 1506)*

Caratteristica della sua pittura è l'ardita[20] prospettiva delle figure e la capacità di trasfigurare[21] illusionisticamente lo spazio di un'intera sala con la decorazione pittorica.

È l'autore delle pitture della cosiddetta *Camera degli Sposi* del Palazzo Ducale di Mantova. Bellissimo è il particolare della volta dove da un tipo di balconata si affacciano figure e animali in vertiginosa prospettiva verso il cielo. Quest'opera servirà da esempio per gli artisti delle generazioni successive.

*Andrea Mantegna, **affresco, particolare della volta** della Camera degli Sposi (1465-1474), Palazzo Ducale, Mantova*

Botticelli *(Firenze, 1445 - 1510)*

Il suo vero nome è Alessandro Filipepi. L'artista ricerca nella sua pittura il perfetto equilibrio tra mito e realtà, come è evidente nelle sue opere più conosciute: *La Primavera* e *La Nascita di Venere*, due soggetti di ispirazione pagana[22]. Le figure, secondo la concezione[23] rinascimentale, hanno tratti delicati e diventano parte della natura. La bellezza viene idealizzata.

Nei suoi dipinti usa colori chiari, velature[24] e trasparenze[25] così da creare un'atmosfera sovrannaturale[26].

Sandro Botticelli, La Primavera (1478), Uffizi, Firenze

es. 4

I Geni del Cinquecento

Leonardo *(Vinci, Firenze, 1452 - Amboise, 1519)*

La maggior parte dei personaggi del Rinascimento erano esperti in molte discipline, ma il vero genio universale è Leonardo, allo stesso tempo artista, scienziato, ingegnere, letterato.

L'artista sostiene che, per scoprire il segreto delle cose, bisogna osservarle attentamente.

Ha lasciato perciò molti schizzi e disegni che rivelano la sua capacità di osservare anche i più piccoli fenomeni naturali: studia e riproduce il volo degli uccelli, le piante, il corpo umano e progetta macchine per volare, nuove armi e invenzioni[27] di ogni tipo.

Tra i suoi capolavori ricordiamo la *Gioconda*, il cui sorriso enigmatico è diventato proverbiale e il *Cenacolo*, un affresco straordinario che riproduce

Leonardo, La Monna Lisa o Gioconda (1503), tavola, Louvre, Parigi

Leonardo, Cenacolo *(1498)*, *Refettorio di Santa Maria delle Grazie, Milano*

il dramma dell'Ultima Cena di Gesù con gli Apostoli. Le figure, i cui contorni sono sfumati, si inseriscono[28] all'interno di un paesaggio così da creare un'atmosfera di sogno, quasi irreale. Questa tecnica, detta appunto dello "sfumato", con il passaggio graduale dai toni scuri a quelli chiari, permette all'artista di allontanarsi dalla tradizionale arte fiorentina basata sul disegno e sul volume e di immergere la figura in un'immagine cosmica naturale che è un insieme di ambiente e persona, una forma di universale panteismo[29] fuori dal tempo.

Michelangelo *(Caprese, Arezzo, 1475 - Roma, 1564)*

È sommo[30] pittore, scultore e architetto. Di carattere difficile, molto chiuso e solitario, è tormentato dalla ricerca della perfezione; nel corso della sua lunga vita ha avuto molti nemici. Nato scultore, come lui stesso preferiva definirsi ad ogni occasione, è autore di statue piene di forza espressiva tra cui la *Pietà*, il *Davide* e il *Mosè*. In Vaticano affresca la *Cappella Sistina*, un'opera titanica che gli costa dieci anni di fatica e gli causa forti disturbi alla vista: le figure gigantesche dell'affresco esprimono con evidenza l'inquietudine del suo animo tormentato. Tra le sue opere di architetto va infine ricordata la grandiosa *Cupola di San Pietro*.

Michelangelo, Mosè *(1513)*, *marmo,*
San Pietro in Vincoli, Roma

Michelangelo, La creazione di Adamo *(1508-1512)*, *affresco,*
volta della Cappella Sistina, palazzi Vaticani, Roma

Raffaello, La scuola di Atene
*(1511), La stanza della
Segnatura, Musei Vaticani*

Raffaello Sanzio
(Urbino, 1483 - Roma, 1520)

Figlio di un pittore da cui riceve la prima educazione artistica, diviene famoso già molto giovane. Nei suoi quadri esprime l'ideale classico di una bellezza serena e armoniosa. Lavora a Firenze, dove dipinge numerose Madonne dall'aspetto dolce e a Roma, dove affresca le Stanze Vaticane con scene armonicamente impostate su uno sfondo simmetrico.

Raffaello, Madonna del Cardellino *(1507), Galleria degli Uffizi, Firenze*

Tiziano Vecellio *(Pieve di Cadore, Belluno, 1488/90 - Venezia, 1576)*

Diventa famoso nella scuola veneziana grazie alla ricchezza di colori e al dinamismo delle composizioni. Oltre che per i ritratti, in cui l'artista dimostra di saper cogliere più che i contorni, la psicologia del modello, e per i dipinti di soggetto religioso, è famoso per i nudi di donne, molto sensuali, che rappresentano un'evoluzione importante rispetto alla precedente iconografia.

Andrea Palladio, Villa Capra detta *La Rotonda (1551), Vicenza*

La fama dell'architetto del Cinquecento **Andrea Palladio** (Padova, 1508 - Treviso, 1580), oltre che alle bellissime chiese di *San Giorgio Maggiore* e del *Redentore* a Venezia, è legata ai numerosi palazzi e alle ville che costruisce per l'aristocrazia veneta.

La reazione allo stile gotico e il ritorno alle linee classiche, semplici e geometriche, sono le caratteristiche principali della sua opera e dell'opera di altri architetti del suo tempo. Tra questi c'è **Jacopo Sansovino** (Firenze, 1486 - Venezia, 1570) a cui è affidata la ristrutturazione del cuore di Venezia: a lui si devono la *Loggia del campanile di San Marco* e la *Libreria Marciana* in piazza San Marco.

Tiziano, Assunzione *(1516), Basilica di Santa Maria Gloriosa dei Frari, Venezia*

Jacopo Sansovino, Libreria Marciana, Venezia

es. 5

L'arte del Seicento

L'arte barocca (XVII sec.)

Roma per tutto il '600 è il centro in cui nasce e si diffonde il barocco. Il termine barocco è sinonimo di bizzarro, irregolare, strano: è spettacolo, immagine, illusione, artificio. E anche: dinamicità, vitalità, espressività e sta a indicare uno stile anti-classicista, molto ricco di decorazioni e di ornamenti. Si afferma non solo in architettura, scultura e pittura, ma si parla di barocco anche per il disegno dei mobili, della ceramica, del vetro e del metallo.
I maggiori rappresentanti del barocco italiano sono **Bernini** e **Caravaggio**.

Gian Lorenzo Bernini,
Piazza e Colonnato di San
Pietro *(1656-1667)*, Roma

Gian Lorenzo Bernini
(Napoli, 1598 - Roma, 1680)

Scultore e architetto preferito specialmente dai pontefici. Seguendo i canoni[31] scenografici dello spazio secondo lo stile barocco, ha progettato il *Colonnato di San Pietro*, dalla forma ellittica[32], la cui prospettiva crea l'impressione di un abbraccio simbolico al popolo cristiano. Sue anche molte delle famose fontane di Roma (dalla *Fontana dei Quattro Fiumi* di Piazza Navona a quella del *Tritone* in piazza Barberini) e anche il *baldacchino* di bronzo in San Pietro. Tra le maggiori opere architettoniche bisogna ricordare il *Palazzo Montecitorio* (1650-1655), oggi sede della Camera dei Deputati.

Caravaggio *(Milano, 1571 - Porto Ercole, 1610)*

Michelangelo Merisi detto Caravaggio, è un pittore dalla vita avventurosa e dal carattere violento e ribelle, un vero e proprio "artista maledetto": arrestato più volte, è costretto a fuggire da Roma per aver commesso un omicidio; va a Napoli dove è gravemente ferito in una lite e muore giovane. Il suo stile pittorico è così rivoluzionario e anticonformista che spesso i suoi dipinti vennero rifiutati perché "volgari e indecorosi[33]"; sostituisce, infatti, agli stereotipati personaggi evangelici, figure tratte dal vivo. Le sue Madonne e i suoi Santi, particolarmente delle *pale d'altare* delle chiese romane, somigliano a uomini semplici: hanno una plasticità e una espressività realistica molto suggestiva e non sono differenti dai popolani e dagli emarginati, soggetti dei dipinti giovanili. Le opere di questo pittore sono caratterizzate da una grande sensibilità nei confronti della luce, potente e folgorante, che fa spiccare le figure dal fondo in ombra assoluta. In tal modo carica di emozioni le scene. È il primo artista che realizza nature morte.

Caravaggio
1. *Giovane con cesto di frutta (1593-1594), tela, Galleria Borghese, Roma*
2. *Conversione di S. Paolo (1600-1601), chiesa di S. Maria del Popolo, Roma*

L'arte del Settecento

Il Rococò (XVIII sec.)

Nella prima metà del secolo il centro dell'arte in Europa si sposta dall'Italia in Francia. Lo stile Rococò nasce, dunque, in Francia, e solo successivamente si diffonde in tutta Italia. Il termine deriva dal francese *rocaille*, termine usato per indicare le decorazioni fatte con conchiglie e piccole pietre nei giardini e per indicare uno stile "festoso" che è stato considerato spesso come una degenerazione[34] del barocco. Occorre sottolineare che in questo periodo, più che durante il Barocco, una maggiore attenzione viene rivolta in architettura agli interni, all'arredo: è infatti il trionfo di mobili, stucchi, arazzi, oreficeria, argenteria.

I maggiori artisti di questo stile sono rappresentanti della cultura veneziana: Giambattista Tiepolo (Venezia, 1696 - Madrid, 1770) che sceglie colori "solari", luminosi e chiari per tele e affreschi per i quali usa anche originali effetti teatrali e architettonici; **Pietro Longhi** (Venezia, 1702-1785), che nei suoi quadri ritrae scene tratte dalla realtà di tutti i giorni; Antonio Canale, detto il **Canaletto** (Venezia, 1697-1768) che dipinge vedute di Venezia e del Canal Grande.

Tiepolo, Il banchetto di Cleopatra *(1733-34), National Gallery of Victoria, Melbourne*

Longhi, Lavandaie *(1740), Ca' Rezzonico, Venezia*

Canaletto, Ritorno del Bucintoro al molo il giorno dell'Ascensione *(1734 c.), Windsor Castle, Royal Collection*

L'architettura del Settecento è molto suggestiva, essendo caratterizzata da linee classiche, ma anche dal gusto per la scenografia. Il maggiore architetto dell'epoca è **Filippo Juvarra** (Messina, 1678 - Madrid, 1736), autore fra l'altro dell'imponente *Basilica di Superga*, costruita su una collina che domina Torino, e dello scalone e della facciata di *Palazzo Madama*. La sua fama di architetto e scenografo è così grande che gli procura incarichi presso le più importanti corti europee.

Filippo Juvarra, Basilica di Superga, *Torino*

Nicola Salvi, Fontana di Trevi *(1732-1762)*, Roma

Anche l'architettura settecentesca a Roma è grandiosa, come nella geniale struttura illusionistica della *Scalinata di Trinità dei Monti*, nata ad opera di un architetto di questa epoca, **Francesco De Sanctis** (Roma, 1679-1731) e nella monumentale *Fontana di Trevi*, opera dell'architetto **Nicola Salvi** (Roma, 1697-1751).

Francesco De Sanctis, Scalinata Trinità dei Monti, *(1723-1726), Roma*

Luigi Vanvitelli, Reggia di Casert

Da un architetto napoletano, **Luigi Vanvitelli** (Napoli, 1700 - Caserta, 1773), e per volere del re Carlo III, è stato costruito infine il palazzo più grandioso di questo secolo, la *Reggia di Caserta*, scenograficamente immersa in un magnifico parco, ricco di fontane e cascate[35] e gruppi di statue ornamentali.

Il Neoclassicismo (fine sec. XVIII - inizi sec. XIX)

Sul finire del secolo, in seguito alle scoperte archeologiche, particolarmente di Pompei ed Ercolano, si comincia a mostrare un grande interesse per l'arte dell'antica Grecia e del periodo imperiale di Roma e in generale per tutto ciò che è considerato "classico". L'amore per l'arte classica darà vita, agli inizi dell'Ottocento, a una corrente artistica, detta Neoclassicismo.

Il maggior interprete del Neoclassicismo è **Antonio Canova** (Treviso, 1757 - Venezia, 1822), scultore straordinario che i contemporanei chiamarono "novello Fidia" per il gusto e la tecnica con cui si ispira alla perfezione della tradizione classica greco-romana. Diventa famoso per alcune sculture in marmo bianchissimo quali *Amore e Psiche* e la *Venere Vincitrice*. Quest'ultima rappresenta Paolina Bonaparte, elegantemente sdraiata[36] come una matrona romana.

Antonio Canova,
Paolina Borghese
Bonaparte come
Venere vincitrice
(1804-1808),
Galleria Borghese,
Roma

Antonio Canova
Amore e Psich
(1796–1800)
Museo del Louvre
Parig

L'arte dell'Ottocento

I Macchiaioli (XIX sec.)

Nel corso dell'Ottocento in Italia non ci sono movimenti originali, ma solo scuole pittoriche locali. L'unica corrente più nota è quella dei **macchiaioli**, come venivano chiamati inizialmente con disprezzo i pittori che rifiutavano il disegno e la forma dai precisi contorni a favore dell'effetto che era ottenuto con una serie di "macchie". I macchiaioli più noti sono **Telemaco Signorini** (Firenze, 1835-1901), il teorico del gruppo, e soprattutto **Giovanni Fattori** (Livorno, 1825 - Firenze 1908). Quest'ultimo nei suoi dipinti spesso ritrae scene militari o scene tratte dal lavoro nei campi. Ricorda in parte i contemporanei pittori impressionisti parigini.

Giovanni Fattori, Buoi al carro *(1870 c.), Galleria d'Arte Moderna, Firenze*

Giovanni Fattori, In vedetta *(1872), Collezione privata, Valdagno*

Telemaco Signorini, Bambina che scrive, *Collezione privata, Firenze*

L'arte romantica

Il Romanticismo considera musica e arte come doni divini, capaci di esprimere sentimenti e intima religiosità. La natura è considerata come luogo in cui è possibile maturare la propria esperienza spirituale. Nei dipinti dell'Ottocento, perciò, spesso ci sono paesaggi dai colori cupi e caldi. Importante pittore romantico è **Francesco Hayez** (Venezia, 1791 - Milano, 1882) i cui dipinti hanno spesso origine da un evento storico. Hayez è conosciuto anche per i ritratti ad alcuni degli uomini più famosi dei suoi tempi: Gioacchino Rossini per la musica, Ugo Foscolo e Alessandro Manzoni per la letteratura, Camillo Benso di Cavour per la politica.

Una sua tela, *Il bacio*, è diventato il simbolo del Romanticismo italiano: spesso i suoi personaggi, in costumi medioevali, sembrano i protagonisti di un melodramma di Giuseppe Verdi.

Francesco Hayez, Il bacio *(1859), Pinacoteca di Brera, Milano*

Lo stile Liberty (fine sec. XIX - inizi del sec. XX)

Negli ultimi decenni del XIX sec. fino agli inizi del sec. XX, in Italia si diffonde una corrente artistica che stilizza[37] con elegan animali, piante e fiori. In Francia prende il nome di *Art-Nouveau*, in Italia all'inizio è chiamato "stile floreale", poi stile *liber* dal nome di alcuni magazzini londinesi di Arthur Liberty, specializzati in vendita di oggetti, stoffe e arredi di gusto floreale. Italia si diffonde particolarmente dopo l'esposizione d'arte decorativa di Torino del 1902.
In questo stile hanno grande importanza l'architettura e tutte le arti decorative: gli artisti rifiutano tutto ciò che è frutto della viltà industriale, che è prodotto in serie o che ricorda il passato classico e si concedono forme curvilinee e molto fantasiose. Gli esterni e gli interni degli edifici non hanno contorni rettilinei[38], le pareti si arrotondano e per le decorazioni si usano vari materiali (dal ferro battuto a stucchi scolpiti) e tecniche di vario genere.

Giuseppe Sommaruga, Palazzo Castiglioni, *Milano*

Uno degli edifici più interessanti di architettura liberty è il palazzo Castiglioni a Milano (1903), dell'architetto **Giuseppe Sommaruga** (Milano, 1867-1917), ma ne abbiamo esempi in tutta Italia.
Si tratta di un fenomeno di puro estetismo, un prodotto della 'belle-époque' della società borghese, dunque destinato solo ad un'élite. Ma dal momento che proprio in questo periodo iniziano gravi problemi e contrasti di classe (non a caso è di quest anni – 1892 – la nascita del Partito Socialista Italiano), questo tipo di arte "borghese" che ignora il suo tempo, avrà breve durata.

es. 6-7

Pietro Fenoglio, Casa Le Fleur, *Torino*

Il Divisionismo

A partire dall'ultimo decennio del XIX secolo in Italia si sviluppa un movimento pittorico chiamato **Divisionismo**. I suoi maggiori esponenti[39] sono **Giovanni Segantini** (1858-1899) e **Giuseppe Pellizza da Volpedo** (1868-1907).

Giovanni Segantini, Mezzogiorno sulle alpi *(1891), Collezione privata, Svizzera*

Giuseppe Pellizza da Volpedo, Il Quarto Stato *(1901)*, Museo del Novecento, *Milano*

Il divisionismo prende spunto dal "Pointillisme" (Puntinismo) francese. Quest'ultimo, derivato a sua volta dalla corrente impressionista, accostava nella tela, attraverso puntini e non pennellate, colori puri senza mischiarli. L'opera più famosa del divisionismo italiano è senz'altro *Il Quarto stato* (1901) di Pellizza da Volpedo, che raffigura una scena di vita sociale, lo sciopero, e ritrae uomini del suo paese e una donna (sua moglie) col bambino in braccio, a grandezza naturale. Molti anni dopo il dipinto diventerà un simbolo dell'impegno politico-sociale e della lotta della classe popolare.

L'arte del Novecento

Nei primi anni del XX secolo in Italia si afferma il **Futurismo**, un'avanguardia artistica nata con la pubblicazione del suo "Manifesto" nel 1910 e il cui caposcuola è **Filippo Tommaso Marinetti**. L'arte futurista tentava con entusiasmo nuove strade d'espressione basate sull'uso imprevedibile[40] dei materiali e sulla ricerca di una realtà non più statica, ma dinamica, essendo la velocità delle macchine uno degli argomenti preferiti dell'epoca. I colori sono quelli dello spettro solare. Risultati notevoli sono stati ottenuti da pittori e scultori quali **Carlo Carrà**, **Gino Severini**, **Giacomo Balla** e soprattutto **Umberto Boccioni**.

Il più geniale dei futuristi è ritenuto **Umberto Boccioni** (Reggio Calabria, 1882 – Verona, 1916), pittore e scultore. La sua prima grande opera di pittore futurista è *La città che sale*, che rappresenta in modo realistico e

Umberto Boccioni, La città che sale *(1910), Museum of Modern Art (Guggenheim), New York*

simbolico la costruzione di una periferia industriale: i cavalli imbizzarriti che vi compaiono sono l'espressione dinamica e positiva della crescita dei sobborghi[41]. Nel 1911 comincia anche l'attività di scultore.

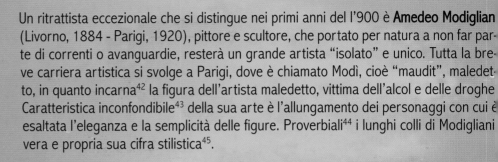

Umberto Boccioni, Forme uniche nella continuità dello spazio *(1913)*, *Galleria d'Arte Moderna, Milano*

Un ritrattista eccezionale che si distingue nei primi anni del l'900 è **Amedeo Modiglian** (Livorno, 1884 - Parigi, 1920), pittore e scultore, che portato per natura a non far parte di correnti o avanguardie, resterà un grande artista "isolato" e unico. Tutta la breve carriera artistica si svolge a Parigi, dove è chiamato Modì, cioè "maudit", maledetto, in quanto incarna[42] la figura dell'artista maledetto, vittima dell'alcol e delle droghe Caratteristica inconfondibile[43] della sua arte è l'allungamento dei personaggi con cui è esaltata l'eleganza e la semplicità delle figure. Proverbiali[44] i lunghi colli di Modigliani vera e propria sua cifra stilistica[45].

Amedeo Modigliani, Autoritratto *(1919), Museum de Arte Contemporanea de Universidade, San Paolo del Brasile*

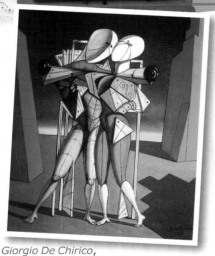

Giorgio De Chirico,
Ettore e Andromaca *(1917),
tela, Galleria Nazionale d'Arte
Moderna, Roma*

La **pittura metafisica**, una delle più importanti avanguardie del XX secolo, nasce ufficialmente in Italia nel 1917 ad opera di **Carlo Carrà** (Quargnento, Alessandria, 1881 – Milano, 1966) e di **Giorgio De Chirico** (Volos, Grecia, 1888 – Roma, 1978). Le caratteristiche della pittura metafisica sono il distacco[46] dalla realtà che subisce un processo di semplificazione e si basa su forme geometriche, senso di mistero e di enigma.

Per esempio, i temi tipici di De Chirico sono i manichini, statue e piazze silenziose e deserte, ombre "taglienti", edifici vuoti e senza vita, oggetti di uso comune presentati in contesti inconsueti[47]. I riferimenti al mondo classico e agli eroi omerici sono frequenti e rapportabili alla sua nascita in terra greca, intesa come patria della mitologia e dei poemi di Omero.

Carlo Carrà, Ritratto di Marinetti
(1910-11), olio su tela, Collezione privata

Architettura e Fascismo

L'architettura è forse la manifestazione artistica in cui il rapporto con il regime fascista è più evidente. Grandi edifici e complessi caratterizzarono il ventennio e Mussolini ne fa uno spietato uso propagandistico. Ma il contenuto architettonico delle opere di allora non può essere ridotto a questo. Il movimento culturale che circonda e attraversa i giovani architetti italiani degli anni Venti e Trenta, il più famoso dei quali è **Marcello Piacentini** (Roma, 1881-1960), è in aperta rottura con la tradizione conservatrice e vicino alle correnti più moderne. Si veda ad esempio il suo *Palazzo della Civiltà Italiana* a Roma, sicuramente una delle opere più interessanti dell'epoca fascista.

VN POPOLO DI POETI DI ARTISTI DI EROI
DI SANTI DI PENSATORI DI SCIENZIATI
DI NAVIGATORI DI TRASMIGRATORI

Renato Guttuso, Crocifissione *(1940-41), tela,
Galleria Nazionale d'Arte Moderna, Roma*

L'arte italiana del Secondo Novecento, in quanto espressione del "libero pensiero", durante il fascismo viene repressa. Terminato il periodo fascista, l'arte segue due direzioni: da un lato c'è il realismo socialista di cui il più importante esponente è **Renato Guttuso**; dall'altro l'astrattismo e le correnti artistiche più vicine all'arte americana, dall'arte pop all'arte povera, su una linea di rottura con i modelli tradizionali. Nomi importanti sono **Lucio Fontana, Alberto Burri** insieme a tanti altri che scrivono la storia dell'arte di oggi.

Grande artista la cui arte è stata spesso oggetto di discussioni è **Renato Guttuso** (Bagheria, Palermo, 1911 - Roma, 1987), il principale interprete del **realismo neo-cubista**. Animato da idee antifasciste e di una vasta cultura, rielabora alcuni elementi dell'Espressionismo, dell'arte popolare siciliana e, soprattutto, di Picasso, dandoci dei dipinti caratterizzati da impegno sociale e da una forte carica realistico-drammatica.

Alberto Burri, Sacco *(1953),
sacco, stoffa, olio, vinavil su tela*

Alberto Burri (Città di Castello, 1915 - Nizza, 1968), al posto di pennelli e colori, preferisce usare pezzi di carta e di lamiera, stracci, pezzi di legno bruciato, cioè gli oggetti che portano i segni di una vera sofferenza esistenziale.

Lucio Fontana, Concetto spaziale, Attese *(1959),
Galleria d'Arte del Naviglio, Milano*

Lucio Fontana (Rosario di Santa Fé, 1899 - Comabbio, Varese, 1968), scultore e pittore, propone un nuovo spazio figurativo che possa liberare l'artista dai mezzi espressivi tradizionali.

fig. 1

fig. 2

Renzo Piano, Auditorium Parco della Musica, *1994-2002, Roma*

L'architetto **Renzo Piano** (Genova, 1937) che si è laureato al Politecnico di Milano, è famoso in tutto il mondo per l'originalità delle sue costruzioni a guscio[48]. È autore di numerosissimi progetti in Italia e nel mondo. Tra le sue più importanti opere architettoniche ricordiamo: il *Centro Pompidou*, del 1977, a Parigi (fig. 1) e l'aula liturgica per la *Chiesa di Padre Pio* a San Giovanni Rotondo, terminata nel 2004 (fig. 2), le cui strutture spaziali sono così sviluppate da far sembrare la chiesa "aperta" a tutti i pellegrini.

es. 8

Glossario

1 *punto di riferimento* = elemento a cui si guarda per orientarsi
2 *evocare* = ricordare
3 *decifrare* = leggere e interpretare
4 *strada lastricata* = via ricoperta di lastre di pietra
5 *fogna* = il luogo dove si raccolgono le acque sporche, di rifiuto, di un centro abitato
6 *colono* = abitante di una colonia, gruppo di cittadini che si trasferiva in un territorio lontano dalla madrepatria
7 *affinità* = somiglianza, corrispondenza, analogia
8 *custodire* = conservare
9 *fondale* = profondità delle acque del mare
10 *assorbire* = assimilare, fare proprio
11 *accampamento militare* = campo dove i soldati stanno sotto le tende
12 *persecuzione* = serie di azioni ostili e violente per cercare di allontanare da un territorio o eliminare fisicamente un gruppo etnico
13 *eretto* (p.p. di *erigere*) = costruito
14 *esarcato* = territorio sottoposto ad un esarca, funzionario e governatore delle province italiane dell'impero bizantino

15 *sarcofago* = cassa, in pietra o in marmo, dove veniva rinchiusa la persona morta
16 *rifarsi a* = riprendere, prendere come esempio o modello qualcuno o qualcosa
17 *vòlto* (p.p. di *volgere*) = diretto a
18 *discepolo* = allievo, che ha imparato da
19 *irrequietezza* = inquietudine, agitazione, nervosismo
20 *ardito* = coraggioso, audace
21 *trasfigurare* = cambiare l'aspetto esteriore
22 *pagano* = non cristiano
23 *concezione* = idea, concetto, modo di pensare
24 *velatura* = strato sottile steso su una superficie
25 *trasparenza* = l'essere trasparente, che lascia vedere cosa c'è dietro
26 *soprannaturale* = che riguarda Dio o appartiene al mondo del divino
27 *invenzione* = il risultato di chi crea, costruisce qualcosa che prima non esisteva
28 *inserirsi* = entrare a far parte
29 *panteismo* = corrente di pensiero per cui tutta la realtà si identifica con Dio
30 *sommo* = il più alto, il più grande per importanza
31 *canone* = regola

32 *forma ellittica* = forma ovale
33 *indecoroso* = che è contrario alla dignità
34 *degenerazione* = degradazione, un cambiamento in peggio
35 *cascata* = caduta di acqua che è causata da una differenza di livello del terreno
36 *sdraiato* = coricato, disteso
37 *stilizzare* = rappresentare qualcosa usando uno stile che semplifica le figure in linee essenziali
38 *rettilineo* = a linea retta, cioè dritta
39 *esponente* = chi rappresenta un gruppo di persone, un'idea
40 *imprevedibile* = che non si può prevedere
41 *sobborgo* = quartiere periferico di una città
42 *incarnare* = impersonare, rappresentare qualcosa in modo vivo ed efficace
43 *inconfondibile* = particolare, che non si può confondere con altro
44 *proverbiale* = che è noto a tutti
45 *cifra stilistica* = tratto personale che caratterizza l'opera di un artista
46 *distacco* = allontanamento
47 *inconsueto* = che non è comune
48 *a guscio* = con la forma di un guscio, cioè della parte esterna di un uovo

Esercizi

Rispondi alle domande.

1) Perché la civiltà degli Etruschi costituisce ancora un mistero per noi?
2) Che cosa sono le necropoli etrusche?
3) Perché si dice "sorriso etrusco"?
4) Quali sono gli edifici più importanti per i greci? Potresti descriverli?
5) Cosa sono i Bronzi di Riace?
6) Sapresti descrivere la pianta di una città romana?
7) Che cosa sai del Colosseo?
8) Dove si trovano le prime pitture cristiane?
9) Chi sono i personaggi raffigurati nei Mosaici di San Vitale a Ravenna?

Scrivi nel riquadro corrispondente gli elementi che caratterizzano l'arte romanica e quelli che caratterizzano l'arte gotica.

a. case-torri   **b.** prevalenza dei vuoti sui pieni   **c.** soffitto in muratura   **d.** robustezza   **e.** poca luce
f. guglie   **g.** grandi finestre   **h.** linearità   **i.** pilastri   **l.** arco a sesto acuto   **m.** rosone

arte romanica	arte gotica

Collega le due colonne.

1. Wiligelmo   a) drammaticità e plasticità
2. Benedetto Antelami   b) figure strette in spazi architettonici
3. Cimabue   c) fondatore della scuola pittorica senese
4. Duccio da Boninsegna d) maestro di Giotto
5. Simone Martini   e) pittura semplice e luminosa, di narrazione
6. Giotto di Bondone   f) il Petrarca della pittura

4. Completa la griglia.

	città natale	capolavoro	opera di	caratteristica
Brunelleschi				
Donatello		David	scultura	
Masaccio				
Piero della Francesca				
Andrea Mantegna				
Botticelli	Firenze			

5. A quale dei quattro artisti (Leonardo, Michelangelo, Raffaello, Tiziano) si riferiscono le seguenti affermazioni?

1) È il vero genio universale. ....

2) Ha dipinto la Cappella Sistina. ....

3) È famoso anche per i nudi di donne. ....

4) Ci ha lasciato un'infinità di studi, schizzi e disegni. ....

5) Arrivò molto vicino alla cecità. ....

6) Dipinse le Stanze Vaticane. ....

7) Come architetto è da ricordare per la grandiosa Cupola di San Pietro. ....

8) La sua tecnica è detta dello sfumato. ....

9) Dipinge numerose Madonne dal dolce aspetto. ....

10) Famoso pittore della scuola veneziana. ....

6. Vero o Falso?

V F

1. Nel periodo Barocco si esaltano le decorazioni e gli ornamenti.
2. La città più importante in cui nasce e si diffonde il Barocco è Milano.
3. Bernini è l'architetto e lo scultore preferito dai pontefici.
4. Il Colonnato di San Pietro ha forma circolare.
5. Molte fontane romane sono del Bernini.
6. Si dice che Caravaggio avesse un carattere violento.
7. I personaggi di Caravaggio sono tutti evangelici.
8. Le opere del Caravaggio sono caratterizzate dal contrasto della luce su un fondo scuro.
9. Caravaggio dipinge nature morte.
10. Nella seconda metà del '700 si afferma lo stile Rococò.
11. Lo stile Rococò è considerato una "degenerazione" del Barocco.
12. L'architettura del '700 è caratterizzata dal gusto per la scenografia.
13. Nell'Ottocento in Italia ci sono movimenti pittorici molto originali.
14. Lo stile Liberty è caratterizzato da animali e piante stilizzati.

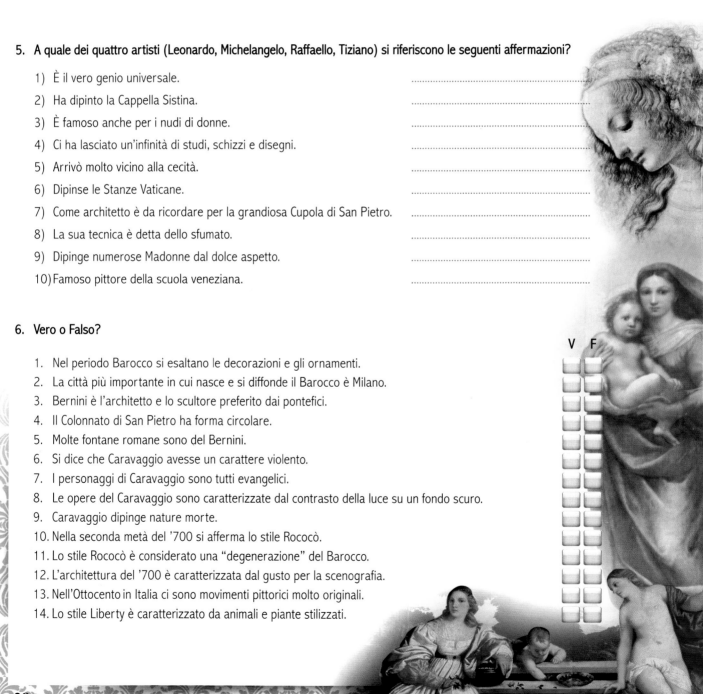

7. Sottolinea e correggi l'errore.

1. Nel XVIII secolo il centro dell'arte in Europa si sposta dalla Francia in Italia.

   ....

2. Tiepolo usa colori scuri.

   ....

3. Pietro Longhi è un famoso scultore.

   ....

4. Il Canaletto dipinge panorami di Roma e dintorni.

   ....

5. Filippo Juvarra è l'architetto della *Basilica di Superba* a Torino.

   ....

6. La *Fontana di Trevi* è opera dell'architetto Francesco De Sanctis.

   ....

7. La Reggia di Caserta, opera di Luigi Vanvitelli, è il palazzo più piccolo del secolo.

   ....

8. Antonio Canova è chiamato "allievo di Fidia".

   ....

9. Una famosa scultura di Canova è *Amore e Venere*.

   ....

10. I macchiaioli sono pittori che amano disegni dai precisi contorni.

    ....

11. Giovanni Fattori ricorda gli espressionisti francesi.

    ....

12. *La carezza* è il più famoso quadro di Francesco Hayez.

    ....

8. Cancella la parola estranea.

1) futurismo   velocità   avanguardia   Boccioni   staticità
2) Modì   artista maledetto   colli corti   pittore   Amedeo
3) forme geometriche   eroi omerici   De Chirico   piazze affollate   metafisica
4) Piacentini   fascismo   architetto   tradizione conservatrice   Palazzo della Civiltà Italiana
5) neocubismo   impegno sociale   Guttuso   drammaticità   impressionismo

Indice

Chiavi

1.
1. Poiché dal migliaio di iscrizioni che abbiamo poche parole sono state decifrate.
2. Le necropoli etrusche sono le città dei morti.
3. Per indicare un sorriso enigmatico.
4. Il tempio, il teatro, l'agorà, il ginnasio.
5. Due statue di bronzo che raffigurano due guerrieri.
6. Di forma quadrata o rettangolare, è circondata da mura, su cui si aprono 4 porte nel punto dove terminano le due vie principali che attraversano la città a croce.
7. È un anfiteatro dalla forma ellittica che era in grado di ospitare 50.000 spettatori.
8. Le prime pitture cristiane le troviamo nelle catacombe.
9. L'imperatore Giustiniano e sua moglie Teodora.

2. Arte romanica = a, c, d, e, i, m; Arte gotica = b, f, g, h, l

3. 1.b, 2.a, 3.d, 4.c, 5.f, 6.e

4. *Brunelleschi:* Firenze, Chiesa Santa Maria del Fiore, architettura, cupola; *Donatello:* Firenze, David, scultura, nudo a tutto tondo; *Masaccio:* San Giovanni in Valdarno, affreschi della Cappella Brancacci, pittura, prospettiva e luce; *Piero della Francesca:* Arezzo, Madonna dell'Uovo, pittura, figure impassibili e precisione geometrica della prospettiva; *Andrea Mantegna:* Padova, Camera degli sposi, pittura, illusionismo pittorico; *Botticelli:* Firenze, La Primavera e La Nascita di Venere, pittura, soggetti d'ispirazione pagana, tratti delicati e bellezza idealizzati

5. *Leonardo:* 1, 4, 8; *Michelangelo:* 2, 5, 7; *Raffaello:* 6, 9; *Tiziano:* 3, 10

6. 1.V, 2.F, 3.V, 4.F, 5.V, 6.V, 7.F, 8.V, 9.V, 10.F, 11.V, 12.V, 13.F, 14.V

7. 1. *dalla Francia in Italia* - dall'Italia in Francia; 2. *scuri* - chiari; 3. *scultore* - pittore; 4. *Roma* - Venezia; 5. *Superba* - Superga; 6. *Francesco De Sanctis* - Nicola Salvi; 7. *piccolo* - grandioso; 8. *allievo di Fidia* - novello Fidia; 9. *Venere* - Psiche; 10. *amano disegni dai precisi contorni* - rifiutano il disegno e le forme precise a favore delle "macchie" pittoriche; 11. *espressionisti* - impressionisti; 12. *la carezza* - il bacio

8. 1. staticità; 2. colli corti; 3. piazze affollate; 4. tradizione conservatrice; 5. impressionismo

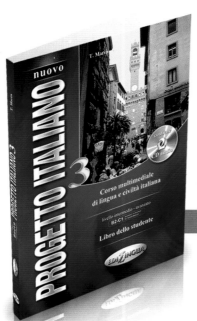

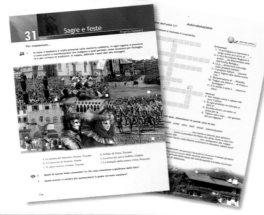

Nuovo Progetto italiano 3

(B2-C1), è il terzo livello di un moderno corso multimediale d'italiano. Orientato al Quadro Comune Europeo, si compone di:

* *Libro dello studente*, articolato in 32 brevi unità didattiche, offre vario materiale autentico seguendo sempre la filosofia induttiva di scoperta del corso
* *Quaderno degli esercizi*
* *2 CD audio*
* *Guida per l'insegnante*
* *Attività online*

ISBN 978-960-693-004-1

Mosaico Italia (B2-C2),

Offre in 6 capitoli differenti percorsi all'interno del mosaico della cultura e della civiltà italiana. In ciascun capitolo, attraverso testi, ascolti, immagini e attività, si affrontano tematiche legate al costume e alla società italiana contemporanea.

Tre sezioni fisse dedicate al cinema, alla letteratura e all'arte figurativa mettono in ulteriore risalto la ricchezza culturale del Bel Paese.

Il libro è completato da un CD audio contenente 24 ascolti autentici.

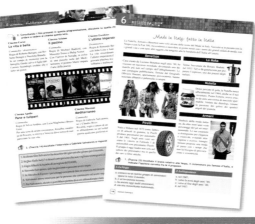

ISBN 978-960-6632-69-3

ISBN 978-960-7706-25-6

La Prova orale 2 (B2-C2),

è il secondo volume di un manuale per la conversazione e la preparazione alla prova orale delle varie certificazioni (Celi, Cils, Plida e altre).

La converazione trae continuamente spunto da materiale autentico (fotografie-stimolo, articoli di giornale, testi letteari, massime da commentare, compiti comunicativi da svolgere) e da preziose domande che motivano e stimolano gli studenti.

Il volume è completato da un glossario.